A

HAMEWITH

TENTH IMPRESSION

"THIS·IS·THE·ONLY·FAULD" A GREEN YULE.

HAMEWITH

BY

CHARLES MURRAY

With Introduction by
ANDREW LANG
AND
Two Illustrations by
R. DOUGLAS STRACHAN

LONDON
CONSTABLE & COMPANY LTD.
1913

Here on the Rand we freely grant
We're blest wi' sunny weather;
Fae cauld an' snaw we're weel awa,
But man, we miss the heather.

JOHANNESBURG, S.A.

TO MY WIFE

NOTE

SOME of these verses appeared originally in
"The Scots Observer," "The National Ob-
server," "Black and White," "The Outlook,"
"The Spectator," "Chambers' Journal," and
other papers; and a number of them were
published in volume form in 1900 by Messrs.
D. Wyllie and Son, Aberdeen. In the present
collection many new poems appear for the
first time.

CONTENTS

CONTENTS

x

INTRODUCTION

WHENCE arose the popular belief that some persons impart luck to the books of other persons? The answer, if it were not a question of books but of other projectiles, would be (in savage society) that one man has more *maya* or *wakan* or *orenda* than another; has more of a subtle, imponderable, potent, innermost, all-pervading something than another, and that he can communicate this gift, by luck or otherwise, to others. Thus in Rutuya a medicine man communicated his *maya* to Colonel Gudgeon, to Lieutenant Grant, and other gentlemen, who then walked barefoot but unsinged over a floor of red-hot stones. Obviously our civilized faith in prefaces by other hands than the author's (usually the better man), is part of the *orenda* or *maya* superstition or belief.

Were I conscious of possessing *maya* or luck, I would gladly impart it to all men, if all men were equally virtuous, like the teacher of the art of flying in "Rasselas," by Dr. Samuel Johnson. But I am so far from being conscious of possessing *maya* that I only wish, if there be indeed a quantity of this transcendental ether, that some one who had plenty of it would write introductions for my books, which stand greatly in need of a supernormal "send off." Still they are not in quite such evil case as they would be were I a poet, for many a man and most women most justly disesteem their own capacity for reading verses. Indeed that art is now almost lost, and it is strange to think that there are probably to-day more persons who write verse than who read it. Poetry, like Christmas cards, is bought, not to keep, but to give away at Christmas, on birthdays, and, by economical friends of the bride, at weddings. There is always plenty of poetry in small volumes, in flabby leather covers, among the array of wedding presents. This offering is a survival: the idea of love is still connected with the writings of Tennyson and Browning, though experience tells us that the poetry-reading days of the pair end at the altar.

The child of an earlier generation, I was capable of reading verses in my youth, and even now can do so, retaining at least that faculty of a dead world, just as the last Pict held the secret of "brewing the ale from the heather bell." Mr. Charles Murray's ale (which is excellent) is all brewed from the heather bell, is pure Scots; and he sings the songs of our national Zion on "a distant and a deadly shore," that of the Transvaal—though this is a mere figure of speech, the Transvaal, like Bohemia, possessing at present no sea-coast.

To the patriotic Scot there is somewhat affecting in the echoes of very rich Scots which reach us across the African continent and "seas that row between." To speak for myself, I am never so happy as when I cross the Tweed at Berwick from the South, or go on the links at Wimbledon Common, and hear the accents (for there are several, including that peculiar to Gourock) of my native tongue. These observes are quite genuine, and come from a Scot whose critics in England banter him on his patriotism, while his critics in Scotland revile him as rather more unpatriotic than the infamous Sir John Menteith, who whummled the bannock. The Scots of Mr. Murray is so pure and so rich that it may puzzle some patriots whose

sentiments are stronger than their linguistic acquire-
ments. The imitations of Horace are among the
best extant, and Mr. Murray might take Professor
Blackie's advice, trying how far the most rustic
idylls of Theocritus, say the "Oaristus," can be
converted into the Doric of the Lowlands. If one
may have favourites, among these is "The Pack-
man," "The Howe of Alford," "The Hint o' Hairst,"
"The Antiquary," and "The Lettergae." Does any
Lettergae survive in this age of guilt when the
harmonium pervades the kirks which our fathers
purified from the Romish organ? Indeed, the poems
beget a certain melancholy. "I am never merry when
I hear sweet music" from a world that is dead or
dying, the world of Scott and Hogg, the world that
knew not polluted streams, and railways, and motor
cars, and, worst of abominations, the gramophone.

In a far-off land Mr. Murray retains the sentiment
of that forgotten time, and is haunted by the scent
of peat and bog myrtle, the sound of old words
that now are strange, the poverty that was not
the mate of discontent. *Enfin* he has the secret of
the last of the Picts, if indeed *he* was the last, if
they do not dwell with "The Secret Commonwealth

of Elves, Fauns, and Fairies" in the secret places
of the hills. Poetry more truly Scots than that of
Mr. Murray is no longer written—was not written
even by Mr. Stevenson, about "a' the bonny U. P.
Kirks," for in his verses there was a faint twinkle
of the spirit of mockery.

ANDREW LANG.

HAMEWITH

HOT youth ever is a ranger,
New scenes ever its desire;
Cauld Eild, doubtfu' o' the stranger,
Thinks but o' haudin' in the fire.

Midway, the wanderer is weary,
Fain he'd be turnin' in his prime
Hamewith—the road that's never dreary,
Back where his heart is a' the time.

THE ALIEN

IN Afric's fabled fountains I have panned the
    golden sand—
  Caught crocodile with baviaan for bait—
I've fished, with blasting gelatine for hook an' gaff
    an' wand,
  An' lured the bearded barbel to his fate:
But take your Southern rivers that meander to the
    sea,
  And set me where the Leochel joins the Don,
With eighteen feet of greenheart an' the tackle
    running free—
    I want to have a clean fish on.

The eland an' the tsessebe I've tracked from early
    dawn,
  I've heard the roar of lions shake the night,
I've fed the lonely bush-veld camp on dik-kop an'
    korhaan,
  An' watched the soaring vulture in his flight;

THE ALIEN

For horn an' head I've hunted, yet the spoil of gun
and spear,
My trophies, I would freely give them all,
To creep through mist an' heather on the great red
deer—
I want to hear the black cock call.

In hot December weather when the grass is caddie
high
I've driven clean an' lost the ball an' game,
When winter veld is burned an' bare I've cursed
the cuppy lie—
The language is the one thing still the same;
For dongas, rocks, an' scuffled greens give me the
links up North,
The whins, the broom, the thunder of the surf,
The three old fellows waiting where I used to make
a fourth—
I want to play a round on turf.

I've faced the fremt, its strain an' toil, in market
an' in mine,
Seen Fortune ebb an' flow between the "Chains,"

THE ALIEN

Sat late o'er starlit banquets where the danger
    spiced the wine,
  But bitter are the lees the alien drains;
For all the time the heather blooms on distant
    Benachie,
  An' wrapt in peace the sheltered valley lies,
I want to wade through bracken in a glen across
    the sea—
    I want to see the peat reek rise.

he wheeped ont at mornin & he tweedled ont at nicht
he puffed his freckled cheeks until his nose sank oot o sicht

The Whistle

D S
1909

THE WHISTLE

HE cut a sappy sucker from the muckle
rodden-tree,
He trimmed it, an' he wet it, an' he thumped it on
his knee;
He never heard the teuchat when the harrow broke
her eggs,
He missed the craggit heron nabbin' puddocks in
the seggs,
He forgot to hound the collie at the cattle when
they strayed,
But you should hae seen the whistle that the wee
herd made!

He wheepled on't at mornin' an' he tweetled on't
at nicht,
He puffed his freckled cheeks until his nose sank
oot o' sicht,
The kye were late for milkin' when he piped them
up the closs,
The kitlins got his supper syne, an' he was beddit
boss;

5

But he cared na doit nor docken what they did or
  thocht or said,
There was comfort in the whistle that the wee
  herd made.

For lyin' lang o' mornin's he had clawed the caup
  for weeks,
But noo he had his bonnet on afore the lave had
  breeks;
He was whistlin' to the porridge that were hott'rin'
  on the fire,
He was whistlin' ower the travise to the baillie in
  the byre;
Nae a blackbird nor a mavis, that hae pipin' for
  their trade,
Was a marrow for the whistle that the wee herd
  made.

He played a march to battle, it cam' dirlin' through
  the mist,
Till the halflin' squared his shou'ders an' made up
  his mind to 'list;
He tried a spring for wooers, though he wistna
  what it meant,

6

But the kitchen-lass was lauchin' an' he thocht she
      maybe kent;
He got ream an' buttered bannocks for the lovin'
      lilt he played.
Wasna that a cheery whistle that the wee herd
      made?

He blew them rants sae lively, schottisches, reels,
      an' jigs,
The foalie flang his muckle legs an' capered ower
      the rigs,
The grey-tailed futt'rat bobbit oot to hear his ain
      strathspey,
The bawd cam' loupin' through the corn to "Clean
      Pease Strae";
The feet o' ilka man an' beast gat youkie when he
      played—
Hae ye ever heard o' whistle like the wee herd
      made?

But the snaw it stopped the herdin' an' the winter
      brocht him dool,
When in spite o' hacks an' chilblains he was shod
      again for school;

THE WHISTLE

He couldna sough the catechis nor pipe the rule o'
 three,
He was keepit in an' lickit when the ither loons
 got free;
But he aften played the truant—'twas the only thing
 he played,
For the maister brunt the whistle that the wee
 herd made!

SKEELY KIRSTY

A STANE-CAST fae the clachan heid
    An auld feal dyke enclosed a reed
O' garden grun', where flower an' weed
      In spring grew first aye;
An' there the humble hauddin' steed
      O' Skeely Kirsty.

Upon the easin' sods a fou
Thick-leaved an' sappy yearly grew,
Which, for a scrat or scabbit mou',
      Beat aught in " Buchan ";
An' draughts fae herbs she used to brew
      That drank like brochan.

To heal a heid, or scob a bane,
To ease a neebour's grippit wean,
Or thoom a thraw, there wasna ane
      Could e'er come near her;
Nae income, fivver, hoast, nor nane
      Would ever steer her.

SKEELY KIRSTY

She cured for pleasure, nae for fees;
Healed man an' beast wi' equal ease:
She gae a lotion for the grease
    To Spence the carrier,
That cured his mear, when the disease
    Gaed ower the farrier.

Was there a corp to streek or kist,
She aye was foremost to assist;
She grat to think " how he'd be miss't,
    Sae good and gifted "!
Syne handed roon' anither taste
    Afore they lifted.

Ae morn grim Death—that poacher fell—
Gat Kirsty in his girn hersel';
Nae epitaph her virtues tell,
    It needs nae vreetin':
On ae thing maistly Fame will dwell—
    Her gift o' greetin'.

THE ANTIQUARY

A LITTLE mannie, nae ower five feet three,
   Sae bent wi' eild he lookit less than that,
His cleadin' fashioned wi' his tastes to 'gree,
   Fae hose an' cuitikins to plaid an' hat.

His cot stob-thackit, wi' twa timmer lums,
   A box-bed closet 'tween the but an' ben,
A low peat fire, where bauldrins span her thrums,
   Wat dried his beets, an' smoked, an' read his lane.

The horn-en' fu' o craggins, quaichs, an' caups,
   Mulls, whorls, an' cruisies left bare room to stir;
Wi' routh o' swourds an' dirks a' nicks an' slaps,
   An' peer-men, used langsyne for haudin' fir.

He'd skulls in cases, lest the mouldy guff
   Should scunner frien's, or gather muckle flees;
He'd querns for grindin' either meal or snuff,
   An' flints an' fleerishes to raise a bleeze.

THE ANTIQUARY

Rowed in a cloutie, to preserve the glint,
 He had a saxpence that had shot a witch,
Sae stark, she hadna left her like ahint
 For killin' kye or giein' fouk the itch.

He kent auld spells, could trail the rape an' spae,
 He'd wallets fu' o' queer oonchancie leems,
Could dress a mart, prob hoven nowt, an' flay;
 Fell spavined horse, an' deftly use the fleems.

He lived till ninety, an' this deein' wiss
 He whispered, jist afore his spirit flew—
" Gweed grant that even in the land o' bliss
 I'll get a bield whaur some things arena new."

JEAMES

IT'S but a fortnight since we laid him doon,
   An' cut the sods to hap his narrow lair—
On Sunday still the grass was dry an' broon;
   An' noo they're up again the kist is bare,
For Bell this day we e'en maun lay aboon,
   An' face in fun'ral blacks the drift ance mair.

Twa Fiersdays back she seem'd baith swak an'
         strang,
   A' day her clogs were clankin' roon' the closs;
An' tho' an income she'd complained o' lang
   It never kept her yet fae kirk or moss.
Wha would hae thocht she'd be the next to gang
   That never grieved a grain at Jeames's loss?

It seem'd richt unco—faith, 'twas hardly fair,
   Just when he thocht to slip awa' at last
An' drap for aye the trams o' wardly care—
   The muckle gates aboon were barely fast
Ere she was pechin' up the gowden stair,
   An' fleechin' Peter till he let her past.

13

JEAMES

When Jeames—I'se warrant ye, wi' tremblin' shins—
    Stands forrit, an' they tak' the muckle beuk
To reckon up his shortcomes, slips, an' sins,
    She'll check the tally fae some canny neuk,
An' prod his memory when he begins
    Should there be ony he would fain o'erleuk.

That Scuttrie Market when he was the waur—
    He thocht the better—o' a drap o' yill,
An' fell at Muggart's door amo' the glaur,
    Forgot the shaltie ower the hindmost gill,
Syne stoitered aff alane, he kent nae whaur,
    An' sleepit wi' the sheep on Baadin's hill.

That Fast-day when he cawed an early load,
    When craps were late an' weather byous saft,
Instead o' daund'rin to the Hoose o' God
    An' noddin' thro' "fourteenthly" in the laft;
Or how he banned the Laird upon the road—
    His bawds an' birds that connached sae the
      craft.

Nae chance for him to discount or excuse
    The wee'est bit, wi' her there keen to tell

14

JEAMES

How a' was true; but yet, gin he should choose
  To bid them look the credit side as well—
Ae conter claim they canna weel refuse—
  The mony patient years he bore wi' Bell.

THE MILLER

WHEN riven wicks o' mou's were rife,
    An' bonnets clad the green,
Aye in the thickest o' the strife
    Auld Dusty Tam was seen.
Nae Tarlan' man daur flout his fame
    Had he a chance to hear;
The Leochel men slid canny hame
    When he cam' aff his mear.

At Scuttrie or at Tumblin' Fair
    Nane ordered in sae free,
Or kent sae weel the way to share
    A mutchkin amo' three.
An' when he took the road at nicht,
    His bonnet some ajee,
Ye seldom saw a baulder wicht—
    Till Isie met his e'e.

She waited whaur the muirlan' track
    Strikes wi' the hamewith turn;
An' ower him there her anger brak'
    Like some spate-ridden burn.

THE MILLER

The ouzel, startled, left the saugh
   An' skimmed alang the lade,
The kitty-neddies fae the haugh
   Gaed pipin' ower her head.
But still she flate till Tammas, now
   Dismounted on the loan,
Ran to the mill an' pu'd the tow
   That set the water on;
Syne busy banged the girnal lids,
   An' tossed the sacks about,
Or steered again the bleezin' sids,
   While aye she raved without.
She bann'd the moulter an' the mill,
   The intak, lade, and dam,
The reekit dryster in the kil',
   Syne back again to Tam.
Till dark—the minister himsel'
   I'll swear he couldna stap her—
Her teethless mou' was like a bell,
   Her tongue the clangin' clapper.
Neist mornin' she laid doon the law—
   He'd gang nae mair to fairs;
An' sae he held the jaud in awe
   He kept it—till St. Sairs.

THE MILLER EXPLAINS

THE byword "as sweer as the Miller"
    Disturbs me but little, for hech!
Ye'll find for ane willin' to bishop
    A score sittin' ready to pech.
But come to the brose or the bottle,
    There's few need less priggin' than me;
While they're busy blessin' the bannock,
    I'm raxin' a han' to fa' tee.

The neighbours clash lood o' my drinkin',
    An' naething hits harder than truth;
But tales micht be tempered, I'm thinkin',
    Gin fouk would consider my drooth.
Nae doot, at the Widow's displenish
    Gey aften I emptied the stoup;
But thrift is a thing we should cherish,
    An' whisky's aye free at a roup.
Week in an' week oot, when I'm millin',
    The sids seem to stick in my throat;
Nae wonder at markets I'm willin'
    To spend wi' a crony a groat.

18

THE MILLER EXPLAINS

An' if I've a shaltie to niffer,
  Or 't maybe some barley to sell,
An oonslockened bargain's aye stiffer—
  Ye ken that fu' brawly yersel'.
Fae forbears my thirst I inherit,
  As others get red hair or gout;
The heirship 's expensive: mair merit
  To me that I never cry out.
An' sae, man, I canna help thinkin'
  The neighbours unkindly; in truth,
Afore they can judge o' my drinkin'
  They first maun consider my drooth.

THE PACKMAN

THERE was a couthy Packman, I kent him
weel aneuch,
The simmer he was quartered within the Howe o'
Tough;
He sleepit in the barn end amo' the barley strae
But lang afore the milkers he was up at skreek o'
day,
An' furth upon the cheese stane set his reekin' brose
to queel
While in the caller strype he gied his barkit face a
sweel;
Syne wi' the ell-wan' in his neive to haud the tykes
awa'
He humpit roon' the country side to clachan, craft
an' ha'.

Upon the flaggit kitchen fleer he dumpit doon his
pack,
Fu' keen to turn the penny ower, but itchin' aye to
crack;

20

THE PACKMAN

The ploomen gaithered fae the fur', the millert fae
    the mill,
The herd just gied his kye a turn an' skirtit doon
    the hill,
The smith cam' sweatin' fae the fire, the weaver
    left his leem,
The lass forgot her comin' kirn an' connached a'
    the ream,
The cauper left his turnin' lay, the sooter wasna slaw
To fling his lapstane in the neuk, the elshin, birse
    an' a'.

The Packman spread his ferlies oot, an' ilka maid
    an' man
Cam' soon on something sairly nott, but never
    missed till than;
He'd specs for peer auld granny when her sicht
    begood to fail,
An' thummles, needles, preens an' tape for whip-
    the-cat to wale,
He'd chanter reeds an' fiddle strings, an' trumps
    wi' double stang,
A dream beuk 'at the weeda wife had hankered
    after lang,

21

He'd worsit for the samplers, an' the bonniest
valentines,

An' brooches were in great request wi' a' kirk-
gangin' queyns.

He'd sheafs o' rare auld ballants, an' an antrin
swatch he sang

Fae "Mill o' Tiftie's Annie," or o' "Johnnie More
the Lang,"

He would lilt you "Hielan' Hairry" till the tears
ran doon his nose,

Syne dicht them wi' a doonward sleeve an' into
"James the Rose";

The birn that rowed his shou'ders tho' sae panged
wi' things to sell

Held little to the claik he kent, an' wasna laith to
tell,—

A waucht o' ale to slock his drooth, a pinch to
clear his head,

An' the news cam' fae the Packman like the water
doon the lade.

He kent wha got the bledder when the sooter
killed his soo,

THE PACKMAN

An' wha it was 'at threw the stane 'at crippled
      Geordie's coo,
He kent afore the term cam' roon' what flittin's we
      would see,
An' wha'd be cried on Sunday neist, an' wha would
      like to be,
He kent wha kissed the sweetie wife the nicht o'
      Dancie's ball,
An' what ill-trickit nickum catched the troot in
      Betty's wall,
He was at the feein' market, an' he kent a' wha
      were fou,
An' he never spoiled a story by consid'rin' gin 'twas
      true.

Nae plisky ever yet was played but he could place
      the blame,
An' tell you a' the story o't, wi' chapter, verse an'
      name,
He'd redd you up your kith an' kin atween the Dee
      an' Don,
Your forbears wha were hanged or jiled fae auld
      Culloden on,

THE PACKMAN

Altho he saw your face get red he wouldna haud
    his tongue,
An' only leuch when threatened wi' a reemish fae
    a rung;
But a' the time the trade gaed on, an' notes were
    rankit oot
Had lang been hod in lockit kists aneth the Sunday
    suit.

An' faith the ablach threeve upon't, he never cried
    a halt
Until he bocht fae Shou'der-win' a hardy cleekit
    shalt,
An' syne a spring-cairt at the roup when cadger
    Willie broke,
That held aneth the cannas a' that he could sell or
    troke;
He bocht your eggs an' butter, an' awat he wasna
    sweer
To lift the poacher's birds an' bawds when keepers
    werna near;
Twa sizzens wi' the cairt an' then—his boolie rowed
    sae fine—
He took a roadside shoppie an' put " Merchant " on
    the sign.

THE PACKMAN

An' still he threeve an' better threeve, sae fast his
     trade it grew
That he thirled a cripple tailor an' took in a queyn
     to shue,
An' when he got a stoot guidwife he didna get her
     bare,
She brocht him siller o' her ain 'at made his
     puckle mair,
An' he lent it oot sae wisely—deil kens at what
     per cent—
That farmers fan' the int'rest near as ill to pay 's
     the rent;
An' when the bank set up a branch, the wily bod-
     dies saw
They beet to mak' him Agent to hae ony chance
     ava'

Tho' noo he wore a grauvit an' a dicky thro' the
     week
There never was a bargain gaun 'at he was far to
     seek,
He bocht the crafter's stirks an' caur, an' when the
     girse was set
He aye took on a park or twa, an' never rued it yet;

25

Till when a handy tack ran oot his offer was the best
An' he dreeve his gig to kirk an' fair as canty as
  the rest,
An' when they made him Elder, wi' the ladle it
  was gran'
To see him work the waster laft an' never miss a
  man.

He sent his sons to college, an' the auldest o' the
  three—
Tho' wi' a tyauve—got Greek aneuch to warsle
  thro 's degree,
An' noo aneth the soundin' box he wags a godly
  pow;
The second loon took up the law, an' better fit
  there's fyou
At chargin' sax an' auchtpence, or at keepin' on a
  plea,
An' stirrin' strife 'mang decent fouk wha left alane
  would 'gree;
The youngest ane 's a doctor wi' a practice in the
  sooth,
A clever couthy cowshus chiel some hampered wi'
  a drooth.

THE PACKMAN

The dother—he had only ane—gaed hine awa' to
   France
To learn to sing an' thoom the harp, to parley-voo
   an' dance;
It cost a protty penny but 'twas siller wisely wared
For the lass made oot to marry on a strappin'
   Deeside laird;
She wasna just a beauty, but he didna swither
   lang,
For he had to get her tocher or his timmer had to
   gang:
Sae noo she sits "My Lady" an' nae langer than
   the streen
I saw her wi' her carriage comin' postin' ower
   Culblean.

But tho' his bairns are sattled noo, he still can cast
   the coat
An' work as hard as ever to mak' saxpence o' a
   groat;
He plans as keen for years to come as when he
   first began,
Forgettin' he 's on borrowed days an' past the Bible
   span.

THE PACKMAN

See, yon's his hoose, an' there he sits; supposin' we
    cry in,
It's cheaper drinkin' toddy there than payin' at the
    Inn,
You'll find we'll hae a shortsome nicht an' baith be
    bidden back,
But—in your lug—ye maunna say a word aboot
    the Pack.

THE LETTERGAE

ON Sundays see his saintly look—
    What grace he maun be feelin',
When stridin' slawly ben the pass,
    Or to the lettrin speelin'!
What unction in his varied tones,
    As aff the line he screeds us,
Syne bites the fork, an' bums the note,
    Ere to the tune he leads us!
Plain paraphrase, or quirky hymn,
    Come a' the same to Peter,
He has a tune for ilka psalm
    Nae matter what the metre.
"St. Paul's" or "University"
    Wi' equal ease is lifted;
At "Martyrdom" he fair excels—
    Eh! keep's sirs, but he's gifted!

But see him now, some workin' day
    When aproned in his smiddy,

An' mark the thuds 'at shape the shoon,
   An' dint the very studdy;
Or when he cocks his elbuck up
   To work the muckle bellows,
An' tells the clachan's latest joke
   To loud-lunged farmer fellows;
Or hear him in the forenicht lilt,
   Wi' sober face nae langer,
Some sang, nae fae a Sunday book,
   A tune that isna " Bangor ":
To recognize him then, I'll wad,
   A stranger it would baffle;
On Sabbath he 's the Lettergae,
   The Smith at roup or raffle.

MARGARET DODS

LATE VINTER IN ST. RONAN'S

NAE mair the sign aboon the door
    Wi' passin' winds is flappin';
Fish Nellie comes nae as afore
    Wi' nervous chappin'.
The Captain's followed Francie Tyrell—
    Mind ance he gaed to seek him,
An' felt your besom shaft play dirl
    Doon-by at Cleikum.
Wi' thrift as great as made you build
    To save the window taxin',
Death closed your e'en when greedy Eild
    Cam' schedule raxin'.

How gladly would we lea' the Clubs,
    "Wildfire" or "Helter Skelter,"
Dicht fae our feet a' earthly dubs,
    Had ye a shelter

31

MARGARET DODS

Whaur trauchled chiels—" an' what for no? "
  Gin sae it pleased the gods—
Could rest an' fish a week or so
  At Marget Dods'.
'Twould hearten strangers gin they saw
  Across some caller loanin'
A wavin' sign whaur crook an' a'
  Hung auld St. Ronan.

Then haudin' hard to new-won grace,
  Rejectin' aucht 'at 's evil,
Ye wouldna thole in sic a place
  Dick Tinto's Deevil,
But send him sornin' doon the howe
  To some tamteen or hottle,
Whaur birselt vratches fain, I trow,
  Wad dreep a bottle.
An' since you're bye wi' anger noo,
  Send wi' him something caller—
As muckle's slock the gizzened mou'
  O' ae damned " Waller."

THE BACK O' BEYONT IS DRY

FAE the Back o' Beyont the carlie cam',
   He fittit it a' the wye;
The hooses were few, an' the road was lang,
   Nae winner the man was dry—
He was covered wi' stoor fae head to heel,
   He'd a drooth 'at ye couldna buy,
But aye he sang as he leggit alang
   " The Back o' Beyont is dry."

He'd a score o' heather-fed wethers to sell,
   An' twa or three scrunts o' kye,
An unbroken cowt to niffer or coup,
   A peck o' neep seed to buy;
But never a price would the crater mak',
   The dealers got "No" nor "Ay,"
Till they tittit the tow, he'd dae naething but sough
   " The Back o' Beyont is dry."

I' the year o' short corn he dee'd o' drooth,
   But they waked him weel upbye,

33   D

THE BACK O' BEYONT IS DRY

'Twas a drink or a dram to the cronies that cam',
    Or baith an they cared to try.
When the wag-at-the-wa' had the wee han' at twa
    Ye shoulda jist heard the cry,
As the corp in the bed gied a warsle an' said
    " The Back o' Beyont is dry."

Fae Foggyloan to the Brig o' Potarch,
    An' sooth by the Glen o' Dye,
Fae the Buck o' the Cabrach thro' Midmar,
    Whaurever your tryst may lie;
At ilka toll on the weary road
    There 's a piece an' a dram forbye,
Gin ye show them your groat, an' say laich i' your
      throat
    " The Back o' Beyont is dry."

      " The Back o' Beyont is dry,
      The Back o' Beyont is dry,
      To slocken a drooth can never be wrang,
      Sae help yoursel' an' pass it alang,
      The Back o' Beyont is dry."

A GREEN YULE

I'M weary, weary houkin', in the cauld, weet,
      clorty clay,
  But this will be the deepest in the yaird;
It's nae a four fit dibble for a common man the
      day—
  Ilk bane I'm layin' by is o' a laird.
Whaever slips the timmers, lippens me to mak' his
      bed,
  For lairds maun just be happit like the lave;
An' kistit corps are lucky, for when a'thing's deen
      an' said,
  There's lythe, save for the livin', in a grave.

Up on the watch-tower riggin' there's a draggled
      hoodie craw
  That hasna missed a funeral the year;
He kens as weel's anither this will fairly ding them a',
  Nae tenant on the land but will be here.

Sae up an' doon the tablin' wi' a gloatin' roupy hoast,
    He haps, wi' twistit neck an' greedy e'e,
As if some deil rejoicin' that anither sowl was lost
    An' waitin' for his share o' the dregie.

There's sorrow in the mansion, an' the Lady that
        tak's on
    Is young to hae sae muckle on her han',
Wi' the haugh lands to excamb where the marches
        cross the Don,
    An' factors aye hame-drauchted when they can.
Come spring, we'll a' be readin', when the kirk is
        latten oot,
    "Displenish" tackit up upon the yett;
For hame-fairm, cairts an' cattle, will be roupit up,
        I doot,
    The policies a' pailined aff an' set.

Twa lairds afore I've happit, an' this noo will mak'
        the third,
    An' tho' they spak' o' him as bein' auld,
It seerly seemed unlikely I would see him in the
    ·   yird,
    For lang ere he was beardit I was bald.

A GREEN YULE

It 's three year by the saxty, come the week o'
      Hallow Fair,
  Since first I laid a divot on a grave;
The Hairst o' the Almighty I hae gathered late
      an' ear',
  An' coont the sheaves I've stookit, by the thrave.

I hae kent grief at Marti'mas would neither haud
      nor bin'—
  It was sair for even unco folk to see;
Yet ere the muir was yellow wi' the blossom on the
      whin,
  The tears were dry, the headstane a' ajee.
Nae bairns, nae wife, will sorrow, when at last I'm
      laid awa',
  Nae oes will plant their daisies at my head;
A' gane, but I will follow soon, an' weel content for a'
  There 's nane but fremt to lay me in my bed.

Earth to earth, an' dust to dust, an' the sowl gangs
      back to God:
  An' few there be wha think their day is lang;
Yet here I'm weary waitin', till the Master gies the
      nod,
  To tak' the gait I've seen sae mony gang.

A GREEN YULE

I fear whiles He's forgotten on his eildit gard'ner
  here,
  But ae day He'll remember me, an' then
My birn o' sins afore Him I'll spread on the Judg-
  ment fleer,
  Syne wait until the angel says " Come ben."

There noo, the ill bird's flaffin' on the very riggin'
  stane,
  He sees them, an' could tell ye, did ye speer,
The order they will come in, ay, an' name them
  ilka ane,
  An' lang afore the funeral is here.
The feathers will be noddin' as the hearse crawls
  past the Toll,
  As soon's they tap the knowe they'll be in sicht;
The driver on the dickey knappin' sadly on his
  mull,
  Syne raxin' doon to pass it to the vricht.

The factor in the carriage will be next, an' ridin'
  close
  The doctor, ruggin' hard upon his grey;

A GREEN YULE

The farmers syne, an' feuars speakin' laich aboot
      their loss,
  Yet thankfu' for the dram on sic a day.
Ay, there at last they're comin', I maun haste an'
      lowse the tow
  An' ring the lang procession doon the brae;
I've heard the bell sae aften, I ken weel its weary
      jow,
  The tale o' weird it tries sae hard to say.

> *Bring them alang, the young, the strang,*
>   *The weary an' the auld;*
> *Feed as they will on haugh or hill,*
>   *This is the only fauld.*

> *Dibble them doon, the laird, the loon*
>   *King an' the cadgin' caird,*
> *The lady fine beside the queyn,*
>   *A' in the same kirkyaird.*

> *The warst, the best, they a' get rest;*
>   *Ane 'neath a headstane braw,*
> *Wi' deep-cut text; while ower the next*
>   *The wavin' grass is a'.*

A GREEN YULE

Mighty o' name, unknown to fame,
Slippit aneth the sod;
Greatest an' least alike face east,
Waitin' the trump o' God.

HAME

THERE'S a wee, wee glen in the Hielan's,
　　Where I fain, fain would be;
There's an auld kirk there on the hillside
　　I weary sair to see.
In a low lythe nook in the graveyard
　　Drearily stands alane,
Marking the last lair of a' I lo'ed,
　　A wee moss-covered stane.

There's an auld hoose sits in a hollow
　　Half happit by a tree;
At the door the untended lilac
　　Still blossoms for the bee;
But the auld roof is sairly seggit,
　　There's nane now left to care;
And the thatch ance sae neatly stobbit
　　Has lang been scant and bare.

HAME

Aft as I lie 'neath a foreign sky
    In dreams I see them a'—
The auld dear kirk, the dear auld hame,
    The glen sae far awa'.
Dreams flee at dawn, and the tropic sun
    Nae ray o' hope can gie;
I wander on o'er the desert lone,
    There's nae mair hame for me.

SPRING IN THE HOWE
O' ALFORD

THERE'S burstin' buds on the larick now
 A' the birds are paired an' biggin';
Saft soughin' win's dry the dubby howe,
 An' the eildit puir are thiggin'.

The whip-the-cat's aff fae hoose to hoose,
 Wi' his oxtered lap-buird lampin',
An' hard ahint, wi' the shears an' goose,
 His wee, pechin' 'prentice trampin'.

The laird's approach gets a coat o' san',
 When the grieve can spare a yokin';
On the market stance there's a tinker clan,
 An' the guidwife's hens are clockin'.

The mason's harp is set up on en',
 He's harlin' the fire-hoose gable;
The sheep are aff to the hills again
 As hard as the lambs are able.

SPRING IN THE HOWE O' ALFORD

There's spots o' white on the lang brown park,
    Where the sacks o' seed are sittin';
An' wily craws fae the dawn to dark
    At the harrow tail are flittin'.

The liftward lark lea's the dewy seggs,
    In the hedge the yeldrin's singin';
The teuchat cries for her harried eggs,
    In the bothy window hingin'.

Nae snaw-bree now in the Leochel Burn,
    Nae a water baillie goupin'—
But hear the whirr o' the miller's pirn,
    The plash where the trouts are loupin'.

THE HINT O' HAIRST

O FOR a day at the Hint o' Hairst,
　　With the craps weel in an' stackit,
When the farmer steps thro' the corn-yard,
　　An' counts a' the rucks he's thackit:

When the smith stirs up his fire again,
　　To sharpen the ploughman's coulter;
When the miller sets a new picked stane,
　　An' dreams o' a muckle moulter:

When cottars' kail get a touch o' frost,
　　That mak's them but taste the better;
An' thro' the neeps strides the leggined laird,
　　Wi' 's gun an' a draggled setter:

When the forester wi' axe an' keel
　　Is markin' the wind-blawn timmer,
An' there's truffs aneuch at the barn gale
　　To reist a' the fires till simmer.

THE HINT O' HAIRST

Syne O for a nicht, ae lang forenicht,
  Ower the dambrod spent or cairtin',
Or keepin' tryst wi' a neebour's lass—
  An' a mou' held up at pairtin'.

WINTER

NOW Winter rides wi' angry skirl
   On sleety winds that rive an' whirl,
An' gaberlunzie-like plays tirl
        At sneck an' lozen.
The bairns can barely bide the dirl
        O' feet gane dozin.

The ingle's heaped wi' bleezin' peats
An' bits o' splutt'rin' firry reets
Which shortly thow the ploughmen's beets;
        An' peels appear
That trickle oot aneth their seats
        A' ower the fleer.

The auld wife's eident wheel gaes birr,
The thrifty lasses shank wi' virr;
Till stents are finished nane will stir
        Lest Yule should come,
When chiels fae wires the wark mith tirr
        To sweep the lum.

WINTER

The shepherd newly fae the hill
Sits thinkin' on his wethers still;
He kens this frost is sure to kill
          A' dwinin' sheep:
His collie, tired, curls in its tail
          An' fa's asleep.

Now Granny strips the bairns for bed:
Ower soon the extra quarter fled
For which sae sairly they had pled:
          But there, it chappit;
An' sleepy "gweed words" soon are said,
          An' cauld backs happit.

The milkers tak' their cogues at last,
Draw moggins on, tie mutches fast,
Syne hap their lantrens fae the blast
          Maun noo be met;
An' soon the day's last jot is past,
          Milk sey'd an' set.

Syne Sandy, gantin', raxes doon
His fiddle fae the skelf aboon,

WINTER

Throws by the bag, an' souffs a tune,
        Screws up a string,
Tries antics on the shift, but soon
        Starts some auld spring.

Swith to the fleer ilk eager chiel
Bangs wi' his lass to start the reel,
Cries " Kissin' time"; the coy teds squeal,
        An' struggle vainly:
The sappier smacks whiles love reveal,
        But practice mainly.

An opening chord wi' lang upbow
The fiddler strikes, syne gently now
Glides into some Strathspey by Gow,
        Or Marshall 't may be;
The dancers lichtly needle thro';
        Rab sets to Leebie.

Wi' crackin' thooms " Hooch! Hooch!" they reel.
The winceys, spreadin' as they wheel,
Gie stolen glints o' souple heel
        An' shapely queet.
The guidman claps his hands, sae weel
        He 's pleased to see 't.

E

WINTER

The wrinkles leave the shepherd's broo,
For see the sonsy mistress too
Shows what the aulder fouks can do,
        An', licht's a bird,
Some sober country dance trips thro'
        Wi' Jock the herd.

Syne lads wha noo can dance nae mair
To cauldrife chaumers laith repair;
An' lasses, lauchin', speel the stair,
        Happy an' warm.
For liftin' hearts an' killin' care
        Music's the charm!

When frost is keen an' winter bauld,
An' deep the drift on muir an' fauld;
When mornin's dark an' snell an' cauld
        Bite to the bane;
We turn in thocht, as to a hauld,
        To some sic e'en.

R. L. S.

HE hears nae mair the Sabbath bells
    Borne on the breeze amang Lowden's dells,
Nor waukens when the bugle tells
            The dawn o' day.

Fate was the flute the Gauger played,
Cheerin' him on wi' its hopes ahead;
Now "O'er the hills" the master's laid
            "An' far away."

Tho' frail the bark, O he was brave,
Nor heedit the stormy winds that drave;
But lanely now the sailor's grave
            Across the faem.

The deer unhunted roam at will,
The whaup cries sair on the dreary hill,
The chase is o'er, the horn is still:
            The hunter's hame.

BURNS' CENTENARY

' I'll be more respected a hundred years after I am dead
than I am at present."—R. B., 1796.

" MY fame is sure; when I am dead
A century," the Poet said,
"They'll heap the honours on my head
                    They grudge me noo ";
To-day the hundred years hae sped
                    That prove it true.

Whiles as the feathered ages flee,
Time sets the sand-glass on his knee,
An' ilka name baith great an' wee
                    Shak's thro' his sieve;
Syne sadly wags his pow to see
                    The few that live.

An' still the quickest o' the lot
Is his wha made the lowly cot

BURNS' CENTENARY

A shrine, whaur ilka rev'rent Scot
        Bareheadit turns.
Our mither's psalms may be forgot,
        But never Burns.

This nicht, auld Scotland, dry your tears,
An' let nae sough o' grief come near's;
We'll speak o' Rab 's gin he could hear 's;
        Life 's but a fivver,
And he 's been healed this hundred years
        To live for ever.

FAME

*I SAW a truant schoolboy chalk his name
　　Upon the Temple door; then with a shout
Run off; that night a weary beggar came,
　　Leant there his ragged back and rubbed it out.*

Dry-lipped she stands an' casts her glance afar,
　　Ae hand across her brows to shield her een,
Her horn flung careless on the tapmost scaur,
　　Where names deep chiselled in the rocks are seen.
An' far below, on ilka ridge an' knowe,
　　A warslin' thrang o' mortals still she spies,
Wha strive an' fecht an' spurn the grassy howe—
　　Thro' whins an' heather ettlin' aye to rise.
Ane whiles she sees, wha, perched upon a stane,
　　Proclaims that he at least the goal has won,
But shortly finds he's shiverin' there his lane
　　Wi' scores aboon, between him an' the sun.
Another, sair forfochen wi' the braes,
　　Enjoys the view while he has strength to see;

FAME

" Weel 's better aye than waur," content, he says,
   " Thus far is far an' far aneuch for me."
Some wise, or lazy, never quit the glen,
   But stretched at easedom watch the hill aboon,
Glad whiles to see ane gettin' up they ken,
   But aft'ner pleased to see him rumblin' doon.
Ane, better shod or stronger than the lave,
   Gets near aneuch to grip her skirts at last;
She lifts her horn an' o'er a new-made grave
   Awakes the echoes wi' a fun'ral blast.

THE AE REWARD

GAE wauken up the Muses nine;
    Tho' we've nae plaited bays
Aroon' their curly pows to twine,
    We winna stent them praise.
Gin music tak' her chanter doon,
    Her sister start a sang,
The other saeven join the tune
    An' lift it lood an' lang.

First set the tune to suit the time
    When we were loons at school,
The sang can be a careless rhyme
    Nae measured aff by rule.
We stole our pleasures then, prepared
    Wi' hands held out to pay;
Were aulder sins as easy squared,
    Oor slates were clean the day.

Syne twa three bars in safter key
    For days o' youthfu' love,

THE AE REWARD

When lasses a' to you an' me
   Were angels fae above.
Lang-leggit Time, but he was fleet
   When we'd a lass the piece,
When bondage aye o'er a' was sweet,
   An' freedom nae release.

Noo stamp an' blaw a skirl o' war—
   The times that noo we hae,
An' gin the need be near or far
   We're ready for the day.
The tykes are roon' the lion's lair,
   We've seen the like before,
An' seldom hae they wanted mair
   When ance they heard him roar.

Syne choke the drones—ae reed's enew
   To play the days to come,
When auld Age stachers into view
   An' adds up a' the sum.
We've loved an' focht an' sell't an' bocht
   Until we're short o' breath;
The auld kirkyard the ae reward,
   An' that we get fae Death.

"MY LORD"

NAKIT tho' we're born an' equal,
   Lucky anes are made Police;
An' if civil life's the sequel,
   Honours but wi' age increase,
Till a Baillie, syne selected
   Ruler ower the Council Board,
An' tho' never re-elected,
     " Ance a Provost, aye ' My Lord.'"

Credit's got by advertisin'
   Ye hae siller still to lend;
Get the word o' early risin',
   Ye can sleep a week on end.
Gie a man a name for fightin'—
   Never need he wear a sword;
Men will flee afore his flytin'—
     " Ance a Provost, aye ' My Lord.'"

"MY LORD"

But for mischief name a body,
  He can never win aboon 't,
Folk wad swear he chate the wuddy
  In the lint-pot gin he droon't;
For unless ye start wi' thrivin',
  A' your virtues are ignored,
Vain a' future toil an' strivin'—
    " Ance a Provost, aye ' My Lord.' "

IN THE GLOAMIN'

WHY sinks the sun sae slowly doon
    Behind the Hill o' Fare?
What restless cantrip 's ta'en the moon?—
    She 's up an hour an' mair.
I doubt they're in a plot the twa
    To cheat me o' the gloamin';
Yestreen they saw me slip awa',
    An' ken where I gang roamin'.

The trees bent low their list'nin' heads
    A' round the Loch o' Skene;
The saft winds whispered 'mang the reeds
    As we gaed by yestreen.
The bee, brushed fae the heather bell,
    Hummed loudly at our roamin',
Syne hurried hame in haste to tell
    The way we spent the gloamin'.

IN THE GLOAMIN'

The mavis told his mate to hush
    An' hearken fae the tree;
The robin keekit fae a bush
    Fu' pawkily an' slee.
An' now they sing o' what they saw
    Whenever we gang roamin';
They pipe the very words an' a'
    We whispered in the gloamin'.

The wintry winds may tirr the trees,
    Clouds hide baith sun an' moon,
An early frost the loch may freeze,
    An' still the birdies' tune.
The bee a harried bike may mourn,
    An' mirk o'ertak' the gloamin',
But aye to thee my thochts will turn,
    Wherever I gang roamin'.

THE MAID O' THE MILL

THE cushie doos are cooin' in the birk,
  The pee-weets are cryin' on the lea,
The starlings in the belfry o' the kirk
  Are layin' plans as merry as can be.
The mavis in the plantin' has a mate,
  The blackbird is busy wi' his nest,
Then why until the summer should we wait
  When spring could see us happy as the rest?

There's leaves upon the bourtree on the haugh,
  The blossom is drappin' fae the gean,
There's buds upon the rantree an' the saugh,
  The ferns about the Lady's Well are green.
A' day the herd is liltin' on the hill,
  The o'ercome o' ilka sang's the same:
"There are ower mony maidens at the Mill,
  It's time the ane I trysted wi' cam' hame!"

THE WITCH O' THE GOLDEN HAIR

A ULD carlins ride on their brooms astride
 Awa' thro' the midnight air,
But they cast nae spell on a man sae fell
 As the Witch o' the Golden Hair.

Nae a fairy free 'neath the hazel tree
 That dances upon the green
Ever kent a charm that could heal or harm
 Like the glint o' her twa blue een.

Fae the earth she's reived, fae the Heav'n she's
  thieved,
 For her cauldron's deadly brew;
She laughs at the stounds o' the hearts she wounds,
 For what recks the Witch o' rue?

63

THE WITCH O' THE GOLDEN HAIR

Lang, lang may the vine in its envy twine
   To compass a bower sae rare,
As will peer, I trow, wi' her broad low brow
   An' her wavin' golden hair.

The bloom fae the peach that we ne'er could reach,
   The red that the apple missed,
You'll find if you seek on the Witch's cheek,
   Left there when the summer kissed.

The blue drappit doon fae the lift aboon
   To shine in her dancin' een;
An' the honey-bee sips fae her red, red lips,
   Syne brags o' the sweets between.

Wi' a magic wile she has won the smile
   That the mornin' used to wear,
An' the gold the sun in his splendour spun
   Lies tangled amang her hair.

The saft south wind cam' to her to find
   A haven to sink an' die,
An' the breath o' myrrh it bequeathed to her
   You'll find in the Witch's sigh.

THE WITCH O' THE GOLDEN HAIR

The dimples three that you still can see
 Are a' she can claim her ain,
For in Nature fair naught can compare
 With them; they are hers alane.

ARLES

FOR arles he gae me a kiss,
　　An' twa ilka day was my fee;
A bargain nae surely amiss,
　　If paid where naebody could see.

But scarce was the compact complete
　　Ere I would hae broken 't again,
The arles he gae were sae sweet,
　　For mair o' them, Sirs, I was fain.

It 's braw wi' the tweezlock to twine
　　Lang rapes in the barn sae lythe,
Yet better by far when it 's fine,
　　An' I gaither after his scythe.

O busy 's the banster at e'en
　　Till bedtime he sits an' he glooms,
An' aye he cries " Lassie, a preen "
　　An' worries the stobs in his thooms.

ARLES

The laddie is tired wi' the rake,
  Sleep soon puts a steek in his e'e,
An' I slip awa' to the break
  An' cannily gather my fee.

WHERE LOVE WAS NANE

A T farmers' faugh lairds still may laugh,
　　An' the tinker sing as he clouts the pan;
But what will cheer my bairnie dear
　　When he kens his father's a witless man?

Bought by a ring, puir silly thing,
　　An' bent by the wind o' my kinsfolk's breath,
Wha would gang braw, if that were 't a'?—
　　O! a loveless life it is waur than death!

Will land or hoose seem good excuse
　　For a mither married where love was nane?
It 's hard for me, this weird to dree,
　　But it 's waur that I canna bear't my lane.

My puir wee bairn, ye'll live to learn
　　How heavy the burden ye hae to bear.
What 's gold or name when born to shame,
　　An' o' sic a twasome to be the heir?

THE DEIL AN' THE DEEVILOCK

THE muckle Deil lay at the mirk pit mou',
    An' hard at his heel lay a Deevilock;
While the brimstane reek wi' an upward spew
   Swirled roon' baith the Deil an' the Deevilock.
As their tails like flails were fannin' the air,
Said the big ane then to the wee ane there:
" In colour an' scouk we are sib as sins,
Wi' a half ell mair we would pass for twins."

   (" A wee toad spits," quo' the Deevilock.)

" Since the warl' was made "—'twas the auld Deil
      spak'—

   (" That's a far cry noo," quo' the Deevilock.)
" I hae wandered far but I've aye come back."

   (" To a het hame too," quo' the Deevilock.)
" Since first I set oot wi' a teem new creel,
Haena mortals changed an' their ways as weel!
For then I was thin an' had wark enew,
Noo I'm fat as creesh, an' the furnace fu'."

   (" Improve the draught," quo' the Deevilock.)

THE DEIL AN' THE DEEVILOCK

"Then aften I swore at the cloven hoof,"
  ("It's gey ill to shee," quo' the Deevilock.)
"An' the horns an' tail scared mony a coof."
  ("Faith they hamper me," quo' the Deevilock.)
"Gin' I taul' ye noo ye would scarce believe
The bother I had wi' that besom Eve;
But forbid her noo, ye would find, I ween,
She would eat the crap while it yet was green."
  ("Syne lift the tree," quo' the Deevilock.)

"In the early days I would aften fail,"
  ("Syne sae lood God leuch," quo' the Deevilock.)
"To wile them awa' to my henchman Baal."
  ("Wasna auld Job teuch?" quo' the Deevilock.)
"The brawest an' best o' my weel waled flock
Struggled lang an' sair wi' a reeshlin' pock;
I nickit him tho', at the hinder-end,
Wi' the thirty croons that he couldna spend.
  ("He'd lots o' heirs," quo' the Deevilock.)

"But willin' an' keen they come half roads noo,"
  ("Saul! in fair big croods," quo' the Deevilock.)
"An' the backward anes are baith far an' few."
  ("Curse your platitudes," quo' the Deevilock.)

THE DEIL AN' THE DEEVILOCK

" They crack roon' the fire, an' are nae mair blate
Than a bonnet laird wi' a new estate;
Their hands playin' smack on their birslin' shins
As they lauch an' brag o' their former sins."

   (" Hame 's aye hame-like," quo' the Deevilock.)

" An' you, ye're the warst o' my horny crew ";

   (" I'm sorry I spak'," quo' the Deevilock.)

" Nae an' antrin jot leavin' me to do."

   (" An' I aye blush black," quo' the Deevilock.)

" For a hungry chiel ye've an open gate,
Help the elder pooch fae his ain kirk plate;
Nae a leein' man nor a faithless dame
But is coontin' kin, when they hear your name."

   (" I'm ' Canny-chance,' " quo' the Deevilock.)

" Wi' the ministers ye are mair than thrang,"

   (" Took a Sunday twice," quo' the Deevilock.)

" Aye giein' them texts to support a wrang."

   (" Guid halesome advice," quo' the Deevilock.)

" When in Auchterless ye suggest the prayer—
' Show my duty, Lord, lies in Auchtermair';
An' when stipens shrink wi' the fa' in fiars,
Siccan sizzons ban as ye mix your tears."

   (" We're a' ae claith," quo' the Deevilock.)

THE DEIL AN' THE DEEVILOCK

" Ye hae even dealt amo' stocks an' shares,"

  (" Selled some to arrive," quo' the Deevilock.)

" An' made likely men into millionaires."

  (" Hoot, our bairns maun thrive," quo' the Deevi-
    lock.)

" Ye startit a war, an' to raise a loan

Showed a spen'thrift king how to wadset 's throne ;

An' raikit them in fae the bench an' cell,

Till the Fact'ry Act is in bits in Hell."

  (" Nae half-time there," quo' the Deevilock.)

" Nae a pleasant thing hae ye left aneth,"

  (" There 's the company," quo' the Deevilock.)

" An' a weary Deil canna look for death."

  (" Here 's lang life to me," quo' the Deevilock.)

" It 's Hell to hae naething to do but sit

An' curse at the creak o' the birlin' spit ;

I'm red, red wi' rust, save the jinglin' keys,

I'd swap wi' a god wha is fond o' ease."

  (" Ha! ha!—ha! ha!" quo' the Deevilock.)

THE LAWIN'

Then coont on the Lawin', the Lawin', the Lawin',
Keep mind o' the Lawin', forget na the score;
We pay what we're awin', we're awin', we're awin',
We pay a' we're awin' when Death's at the door.

THE GYPSY

O WASNA he bauld for a tinker loon,—
    Sim leant on his rake an' swore—
To fling a' his wallets an' bawd-skins doon,
    An' rap at the castle door.

Wi' my Lord awa' at the Corbie's linn
    There was man nor dog at hame,
Save a toothless bitch 'at was auld an' blin',
    An' the gard'ner auld an' lame.

When my Lady heard she cam' doon the stair,
    An' ben thro' the antlered ha',
Whaur, bonnet in hand, stood the gypsy there
    As raggit as she was braw.

"O I hinna kettles to clout," she said,
    "An' my spoons an' stoups are hale,
But gin ye gang roon' to the kitchen maid
    She'll gie ye a waucht o' ale."

76

THE GYPSY

" It 's never the way o' the gentry, na,
   When visitin' 'mang their frien's,
To drink wi' the maids in the servants' ha'
   Or speak about stoups an' speens.

" An' we are mair sib than ye think," quo' he,
   " For his Lordship's father 's mine;
Tho' the second wife was o' high degree,
   His first was a gypsy queyn.

" An' the younger son got the lands an' a',
   But the gypsies bettered me;
He is only laird o' a fairm or twa,
   I'm king o' the covin-tree.

" Sae I am guid-brither to you, my lass,
   An' head o' the auncient name;
An' it wouldna be richt for me to pass
   Withoot cryin' in by hame."

O a hantle then did the twasome say,
   An' muckle passed them between;
But at last 'twas " Sister, a fair good day,"
   " Guid-brither, a fair good e'en."

THE GYPSY

" *My Lord comes hame fae the huntin' soon,*
   An' he's big, weel-faured, an' braw,
But he isna a man like the tinker loon,
   Wi' wallets an' rags an' a'."

" *Gin she were as free as the maids I ken,*
   Dancin' bar'fit on the green;
As I am the King o' the gypsy men,
   This nicht she would be my Queen."

But the bluid ran thin in the gard'ner Sim,
   He'd heard o' the cairds afore,
An' the auld romance had nae charms for him,
   He lockit the hen-hoose door.

" BYDAND "

THERE'S a yellow thread in the Gordon plaid,
    But it binds na my love an' me;
And the ivy leaf has brought dool and grief
    Where there never but love should be.

For my lad would 'list: when a Duchess kiss't
    He forgot a' the vows he made;
And he turned and took but ae lang, last look,
    When the "Cock o' the North" was played.

O, her een were bright, an' her teeth were white
    As the silver they held between;
But the lips he pree'd, were they half as sweet
    As he vow'd 'at mine were yestreen?

A poor country lass, 'mang the dewy grass,
    May hae whiles to kilt up her goon;
But a lady hie sae to show her knee,
    And to dance in a boro' toon!

"BYDAND"

Gin I were the Duke, I could nae mair look
   Wi' love on my high-born dame;
At a kilt or plaid I would hang my head,
   And think aye on my lady's shame.

By my leefu' lane I sit morn an' e'en,
   Prayin' aye for him back to me;
For now he's awa' I forgie him a'
   Save the kiss he was 'listed wi'.

THE OUTLAW'S LASS

DUNCAN'S lyin' on the cauld hillside,
  Donal's swingin' on the hangman's yew:
Black be the fa' o' the sergeant's bride
  Wha broke twa troths to keep ae tryst true.

The red-coats march at the skreek o' day,
  An' we maun lie on the brae the night;
Then here's to them safely on their way,
  Speed to the mirk brings the mornin's fight.

Here's luck to me if you chance to fa',
  An' here's to luck if it favours you;
For she's but ane, an' o' us there's twa,
  To him that's left may she yet prove true.

In days to come, when the reivers ride,
  They'll miss ae sword that was swift an' keen,
An' you or I, as the Fates decide,
  Will curse the glint o' a woman's een.

THE OUTLAW'S LASS

A parting cup, we will drink it noo,
   Syne break the quaich to a shattered faith;
Here's happiness to the lass we lo'e,
   The lying lass wha deceived us baith.

The soldiers drink in the change-house free,
   The tinker's clinkin' a crackit quaich;
But cuddlin' there on the sergeant's knee
   Wha is the lass that is lauchin' laich?

CHARON'S SONG

ANOTHER boat-load for the Further Shore,
    Heap them up high in the stern;
Nae ane o' them ever has crossed before
    An' never a ane 'll return.
        Heavy it rides sae full, sae full,
           Deep, deep is the River,
        But light, light is the backward pull,
           The River flows silently on.

A cargo o' corps that are cauld I trow—
    They're grippy that grudge the fare—
An' the antrin quick wi' his golden bough
    That 's swappin' the Here for There.
        Heavy it rides sae full, sae full,
           Slow, slow is the River,
        But light, light is the backward pull,
           The River flows silently on.

CHARON'S SONG

In vain will they look wha seek for a ford,
Where the reeds grow lank an' lang:
This is the ferry, an' I am the lord
An' king o' the boat an' stang.
Heavy it rides sae full, sae full,
Black, black is the River,
But light, light is the backward pull,
The River, my River, flows on.

VIRGIL IN SCOTS

ÆNEID, BOOK III, 588-640

NEIST mornin' at the skreek o' day
   The mist had newlins lifted;
The sky, a whylock syne sae grey,
   To fleckit red had shifted:
When suddenly our herts gaed thud
   To see a fremt chiel stalkin',
Wi' timorous steps fae out the wud,
   As fleyed-like as a mawkin.
Lod! sic a sicht, half hid in glaur,
   It made us a' feel wae, man;
His hams were thin, his kyte was waur,
   It hung sae toom that day, man.
His mattit beard was lang an' roch's
   Gin it had ne'er been shorn;
His kilt could barely fend his houghs
   Fae stobs, it was sae torn.

VIRGIL IN SCOTS

A Greek was he, wha short afore
    At Troy was in the brulzie,
An' tho' a halflin then, he bore
    A man's pairt in the tulzie.
As soon's he spied our Trojan graith
    He nearhan' swarfed wi' fear;
But maisterin' his dread o' skaith
    At last he ventured near.
" I charge you by the stars," he cried,
    " And by the powers on high,
To snatch me hence, nor lat me bide
    At Cyclops' hands to die.
I'll no deny that I'm a Greek,
    Or that I was at Troy;
Nor yet to hide the part, I'll seek,
    That I took in the ploy.
Sae gin ye judge my fau't sae sair
    That grace ye daurna gie,
Tear me to bits, fient haet I care,
    And sink me in the sea.
I'll meet my death without a wird,
    If dealt by men like these,"
He said: syne flang him on the yird,
    An' glammoched at our knees.

VIRGIL IN SCOTS

Wi' kindly mint we stilled his fear,
   Enquired his name an' clan,
An' what fell bluffert blew him here
   Wi' sic a hertless flan.
To set him further at his ease
   Anchises gae him 's han',
An' heartened by our kindliness
   The chiel at last began:
" My name is Achaemenides,
   An' Ithaca my land;
An' some ooks syne I crossed the seas
   Wi' poor Ulysses' band.
Oh, why left ever I my hame?
   I'd troubles there enew;
My comrades left me, to their shame,
   When fae Cyclops they flew.
Cyclops himsel', wha can describe?
   The stars are ells below him;
Gude send we ne'er may hae to bide
   Within a parish o' him.
His dungeon large, a hauddin' fit
   For sic an awsome gleed;
There at his fae's dregies he'll sit
   And spairge aboot their bleed.

VIRGIL IN SCOTS

Wi' horrid scouk he frowns on a'
　An' heedless o' their skraichs,
He sweels their monyfaulds awa'
　Wi' wauchts fae gory quaichs.
I saw him, sirs, as sure 's I live,
　Ance as he lay at easedom,
Twa buirdly chiels tak' in his neive,
　Syne careless fae him heeze them.
They fell wi' sic a dreadfu' thud,
　Whaur stanes lay roun' in cairns;
The causey ran wi' thickened blood
　Like stoorum made wi' harns.
I watched him tak' their limbs an' cram
　Them ower his weel-raxed thrapple;
The life scarce left the quivering ham
　That shivered in his grapple.
But never was Ulysses slack
　To pay where he was awin',
An' starkly did he gie him 't back,
　An' bravely cleared the lawin'.
For while the hoven monster snored,
　An' rifted in his dreams,
We first the great God's help implored
　An' blessing on our schemes;

VIRGIL IN SCOTS

The kavils cuist: a feerious thrang
    Syne gaithered roond aboot,
An' wi' a sturdy pointed stang
    We bored his ae e'e oot."

HORACE IN SCOTS

CAR. I, 11

Tu ne quaesieris

YE needna speer, Catriona, nae spaewife yet
    could tell
  Hoo short or lang for you an' me the tack o' life
    will rin,
We'll better jist dree oot the span as we hae dane
    the ell,
    Content gin mony towmonds still we're left to
    store the kin,
Or this the last we'll see the rocks tashed wi' the
    weary seas ;
    Hae sense an' set the greybeard oot ; wi' life sae
    short for a'
They're daft that plan ae ook ahead ; Time keeks
    asklent an' flees
    E'en as we crack ; the nicht is oors, the morn
    may never daw.

HORACE IN SCOTS

Persicos odi

FOREIGN fashions, lad, allure you
    Hamespun happit I would be;
Bring nae mair, for I assure you
    Ferlies only scunner me.

Fancy tartans, clanless, gaudy,
    Mention them nae mair, I say;
Best it suits your service, laddie,
    An' my drinkin', hodden-grey.

HORACE IN SCOTS

CAR. II, 10

Rectius vives

TEMPT not the far oonchancie main,
    Nor fearin' blufferts, frien',
Creep roon' fause headlan's; haud your ain
    Tack fair atween.

The gowden mids, wha aims at it
    Will shun the tinker's lair,
Nor gantin' in a castle sit
    Whaur flunkeys stare.

The heichest fir storms aft'nest bow;
    Lums fa' wi' sairest dunt;
When lightnings rive, bauld Morven's pow
    Drees aye the brunt.

HORACE IN SCOTS

Come weel, come wae, wi' hope or fear
   Prepare your heart for a';
The same Power sends the rain will clear
   The cloods awa'.

Tho' here the day ye've waes galore
   The morn may see them gone;
Fate whiles lays by the dour claymore
   An' tunes the drone.

In trouble bauldly bear yoursel';
   When thrivin', mind the fret—
"Tho' lang the pig gangs to the well,
   Its ae day's set."

HORACE IN SCOTS

Donec gratus eram

HAIRRY

" WHEN Leebie lo'ed me ower them a',
    An' deil a dearer daured to fling
An airm aboot her neck o' snaw,
    I struttit crouser than the king."

LEEBIE

" When I was Hairry's only care,
    Afore he lo'ed me less than Jean,
Wha spak' o' love at kirk or fair
    Set Leebie aye aboon the queen."

HAIRRY

" Noo Hielan' Jean has witched me sae,
    She harps an' sings wi' siccan skill,
Cauld Death can streek me on the strae
    Gin he but spare my marrow still."

94

HORACE IN SCOTS

LEEBIE

" For Colin dear, my heart 's alowe
   As his for me, Glen Nochty's heir,
Fate twice at me may shak' his pow
   Gin he will still my laddie spare."

HAIRRY

" Gin tinker Love wi' clinks o' brass
   Bind baith oor hearts, an' I forget
Red-headit Jean, an' you my lass—
   Lang left—again see wide the yett?"

LEEBIE

" Tho' steady as a starn is he,
   An' you're like bobbin' cork, it's true,
Wi' temper grumlie as the sea,
   I'd love an' live an' dee wi' you."

HORACE IN SCOTS

CAR. III, 15

Uxor pauperis Ibyci

KIRSTY, ye besom! auld an' grey,
    Peer Sandy's wrunkled kimmer,
Death's at your elbuck, cease to play
    Baith hame an' furth the limmer.

Ongauns like yours lads weel may fleg
    Fae lasses a' thegither;
Tibbie may fling a wanton leg
    Would ill set you her mither.

She Anra's bothy sneck may tirl
    An' loup like ony filly;
Love stirs her as the pipers' skirl
    Some kiltit Hielan' billie.

96

HORACE IN SCOTS

Nane pledge or bring you posies noo;
    Auld wives nae trumps set strummin',
For runts like you the Cabrach woo'—
    It 's time your wheel was bummin'.

HORACE IN SCOTS

CAR. III, 26

Vixi puellis

O' LIFE an' love I'm by wi' a',
   Tho' I've had cause o' baith to brag;
Hang dirk an' chanter on the wa',
   Nae mair I'll reive or squeeze the bag.

Whaur on the left my lantren gleams
   Weel gairdit by the sea-born queen,
I lay my love an' war worn leems,
   Hae mony a midnicht tulzie seen.

O Venus, fae your island fair
   Wi' snawless mountains, hear an' help,
Rax back your rung, an' ance—nae mair—
   Gie saucy Meg a canny skelp.

HORACE IN SCOTS

EPOD. II

Beatus ille

HAPPY is he, far fae the toon's alairm
Wha wons contentit on his forbears' fairm;
Whistlin' ahint his owsen at the ploo,
Oonfashed wi' siller lent or int'rest due.
Nae sodger he, that's piped to wark an' meat,
Nae bar'fit sailor, fleyed at wind an' weet,
Schoolboard nor Session tempt him fae his hame,
Provost or Baillie never heard his name;
His business 'tis to sned the larick trees
For lichened hag to stake his early peas,
Or on his plaid amang the braes to lie
Herdin' his sleekit stots an' hummel kye,
Here wi' his whittle nick a sooker saft,
There mark a stooter shank for future graft;
Whiles fae a skep a dreepin' comb he steals,
Or clips the doddit yowes for winter wheels.

When ower the crafts blythe Autumn lifts her
    head
Buskit wi' aipples ripe an' roddens red,
He speels the trees the hazel nits to pu',
An' rasps an' aivrins fill his bonnet fu',—
Fit gifts awat, for gods o' wood an' yaird
To show the gratefu' husbandman's regaird.
Ah, then 'tis pleasant on saft mossy banks
'Neath auncient aiks to ease his wearied shanks,
Whaur hidden burnies rumblin' onwards row,
An' liltin' linties cheer the peacefu' howe,
An' babblin' springs, as thro' the ferns they creep
Wi' ceaseless croonin' lull to gentle sleep.
When stormy winter comes an' in its train
Brings drivin' drift an' spates o' plashin' rain,
Wi' dog an' ferret then he's roon' the parks
Whaur rabbits in the snaw hae left their marks;
Or brings wi' smorin' sulphur thuddin' doon
The roostin' pheasant fae the boughs aboon,
Or daunders furth wi' girn an' gun to kill
White hares an' ptarmigan upon the hill.
Wha mid sic joys would ever stop to fash
Wi' trystin' queyns, their valinteens an' trash?
But gin a sonsy wife be his, she'll help

Wi' household jots, the weans she'll clead an'
    skelp,
An'—Buchan kimmers ken the way fu' weel
Or Hielan' hizzies—tenty toom the creel
O' lang hained heath'ry truffs to reist the fire
Against her man's return, fair dead wi' tire,
An' byre-ward clatter in her creeshie brogues
To fill wi' foamin' milk the scrubbit cogues,
Syne fae the press the cakes an' kebbuck draw
An' hame-brewed drink nae gauger ever saw—
Plain simple fare; could partans better please
Or skate or turbot fae the furthest seas,
Brocht to the market by the trawler's airt
Hawkit fae barrows or the cadger's cairt?
Nae frozen dainties, nae importit meat,
Nae foreign galshochs, taste they e'er sae sweet,
But I will match them fast as ye can name
Wi' simple berries that we grow at hame—
Wi' burnside soorocks that ye pu' yoursel',
Wi' buttered brose, an' chappit curly kail,
Wi' mealy puddins fae the new killed Mart,
Or hill-fed braxy that the tod has spar'd.
What happier life than this for young or auld?
To see the blackfaced wethers seek the fauld,

HORACE IN SCOTS

The reekin' owsen fae the fur' set free
Wear slowly hamewith ower the gowan'd lea,
An' gabbin' servants fae the field an' byre
Scorchin' their moleskins at the kitchen fire.

The banker swore 'mid siccan scenes to die,
  " Back to the land " was daily his refrain;
A fortnicht syne he laid his ledgers by,
  The nicht he's castin' his accoonts again!

THE REMONSTRANCE

NOO man, hoo can ye think it richt
    To waste your time, nicht after nicht,
An' hunker in the failin' licht
        Wi' moody broo,
Like some puir dwinin' thewless wicht
        Wi' death in view?

I've taul' ye aft aneuch it's nae
As if ye'd aught 'at's new to say,
Or said auld things some better way,
        Or like some callants
Gat fouk to praise your sangs an' pay
        Ye for your ballants.

Instead o' vreetin' like a clerk
Till bed-time brings alang the dark,
Ye should be sportin' in the park
        An' hear the clamour
Wad greet ye, should ye pass my mark
        Wi' stane or hammer.

THE REMONSTRANCE

Or tak' a daunder roon' the braes
An' hear the blackies pipe their lays,
The liftward laverock's sang o' praise,
       An' syne, my billie,
Mak' nae mair verses a' your days—
       Shut doon your millie.

THE REPLY

THO' loud the mavis whistles now
  An' blackbirds pipe fae ilka bough
An' laverocks set the heart alowe—
          Mid a' the plenty
You'd miss upon the wayside cowe
          The twitt'rin' lintie.

An' think you, when the simmer's gane,
When sleet blaws thro' the leafless plane,
An' bieldless birds sit mute an' lane,
          The woods a' cheerless,
The hamely robin on the stane
          Sings sweet an' fearless.

So tho' my sangs be as you say
Nae marrow for the blackbird's lay,
They may hae cheered somebody's way
          Wha wanted better,
An' sent him happier up the brae
          My welcome debtor.

THE REPLY

Nae care hae I, nor wish to speel
Parnassus' knowe, for mony a chiel
Has tint his time, his life as weel,
      To claim a bit o't:
I only crave a wee bit biel'
      Near han' the fit o't.

SCOTLAND OUR MITHER

SCOTLAND our Mither—this from your sons
    abroad,
Leavin' tracks on virgin veld that never kent a road,
Trekkin' on wi' weary feet, an' faces turned fae
    hame,
But lovin' aye the auld wife across the seas the
    same.

Scotland our Mither—we left your bieldy bents
To hunt wi' hairy Esau, while Jacob kept the tents.
We've pree'd the pangs o' hunger, mair sorrow seen
    than mirth,
But never niffer'd, auld wife, our rightfu' pride o'
    birth.

Scotland our Mither—we sow, we plant, we till,
But plagues that passed o'er Egypt light here an'
    work their will.

SCOTLAND OUR MITHER

They've harried barn an' basket till ruin claims us
 sure;
We'd better kept the auld craft an' herdit on the
 muir.

Scotland our Mither—we weary whiles and tire;
When Bad Luck helps to outspan, Regret biggs up
 the fire;
But still the hope uphaulds us, tho' bitter now the
 blast,
That we'll win to the auld hame across the seas at
 last.

Scotland our Mither—we've bairns you've never
 seen—
Wee things that turn them northward when they
 kneel down at e'en;
They plead in childish whispers the Lord on high
 will be
A comfort to the auld wife—their granny o'er the
 sea.

Scotland our Mither—since first we left your side,
From Quilimane to Cape Town we've wandered far
 an' wide;

SCOTLAND OUR MITHER

Yet aye from mining camp an' town, from koppie
    an' karoo,
Your sons richt kindly, auld wife, send hame their
    love to you.

GLOSSARY

Ablach—insignificant person.
Aivrins—cloudberry.
Ajee—to one side.
Antrin—occasional.
Arles—earnest given in striking a bargain.
Asklent—askance.
Awat—I wot.
Awin'—owing.

Baillie — alderman ; *baillie* (*water*)—bailiff; *baillie* (*in the byre*)—cattle-man.
Ballants—ballads.
Bane—bone.
Banster—one who binds the sheaves.
Barkit—encrusted with dirt.
Bauldrins—cat.
Bawd—hare.
Beet to—had to.
Beets—boots.
Begood—began.
Bents—hilly ground on which coarse grass grows.
Besom shaft—broom handle.
Bield—shelter.
Biggin'—building.
Bike—hive.

Birk—birch.
Birlin'—whirring.
Birn—burden.
Birr—whirr.
Birse—bristles.
Birselt, birslin' — scorched, scorching.
Bishop—to beat down earth or stones.
Blate—bashful.
Bluffert—blast of wind.
Bonnet-laird—yeoman.
Bool—bowl, marble.
Boss—hollow.
Bothy—cottage where farm servants are lodged.
Bourtree—elder.
Braxy—sheep that has died a natural death.
Break—hollow in a hill.
Breet—brute.
Brochan—oatmeal boiled thicker than gruel.
Brulzie—brawl.
"Buchan"—Buchan's "Domestic Medicine."
Buirdly—stalwart.
But-an'-ben — cottage divided into two apartments.

GLOSSARY

Byous—exceedingly, out of the common.

Cadger—hawker.
Caird—travelling tinker.
Cairtin'—playing cards.
Caller—cool, refreshing.
Cannas—canvas.
Canny—safe, prudent, judicious.
Cantrip—mischievous trick.
Carlie—little old man.
Cauldrife—causing the sensation of cold.
Caup—turned wooden bowl.
Cauper—maker of caups, wood-turner.
Caur—calves.
Causey—causeway.
Caw—to drive.
Chappin'—knocking.
Chappit — struck (the clock "chappit"); *chappit kail*—mashed or bruised colewort.
Chaumers—chambers.
Clachan—hamlet.
Claik—gossip.
Clash—gossip.
Clawed the caup—cleaned the dish. As a punishment the person last to get up in the morning had to clean the common bowl.
Cleadin'—clothing.
Cleekit shalt — pony suffering from string-halt.
Clinkin'—mending by rivetting.
Clockin'—brooding.
Clorty—dirty, sticky.

Closs—enclosure, passage.
Cloutie—small cloth.
Clouts—mends, patches.
Cogue—wooden milking pail.
Connached—abused, wasted, destroyed.
Coof—coward.
Core—company, corps.
Corp—corpse.
Coup—to exchange.
Couthy—affable, kindly.
Covin-tree—trysting-tree, large tree in front of the mansion house where visitors were received.
Cowe—twig of a shrub or bush.
Cowshus—cautious.
Cowt—colt.
Crack—to chat.
Craft—small farm.
Craggins—jars.
Creel—basket.
Creepie—low stool.
Creesh—fat, grease.
Crouse—brisk, lively, bold.
Crowdy—meal and water mixed cold.
Cruisie—ancient oil lamp.
Cuist—cast, threw.
Cuitikins—gaiters.
Cushie doo—wood pigeon.

Dambrod—draught board.
Daundrin'—strolling.
Daw—dawn.
Dibble—to plant in a small hole
Dicht—to clean, to wipe up.
Ding—to overcome, to excel.

GLOSSARY

Dirl—tingle.

Dirlin'—vibrating.

Displenish—to disfurnish, sale of furniture of any sort.

Divot—turf.

Doddit—without horns.

Doit—a small copper coin.

Dool—woe.

Dozin—in a benumbed state.

Dreep—drip, empty to the last drop.

Dregie—refreshment given at a funeral.

Drift—driving or driven snow.

Drooth—drought, thirst.

Dryster—man who dries the grain before grinding.

Dubs, dubby—mud, muddy.

Dunt—bang, sound caused by the fall of a hard body.

Dwinin'—pining.

Easin'—eaves.

Eident—diligent.

Eild—old age.

Elbuck—elbow.

Ell-wan'—yardstick.

Elshin—shoemaker's awl.

Ettlin'—aiming.

Excamb—to exchange one piece of ground for another.

Fa'—fall, fate (black be his fa').

Fae—from.

Faes—foes.

Faugh—fallow land, "Farmers faugh gars lairds lauch"—old Scottish proverb.

Fauld—fold.

Faured—favoured.

Feal dyke—wall built of sods.

Fell—kill, deadly.

Ferlie—oddity, wonder.

Fiars—prices of grain legally fixed for the year.

Fient, fient haet—not a bit, the Devil a bit.

Fiersday—Thursday.

Firehoose—dwelling house.

Firry—resinous.

Fittit—footed.

Flaffin'—flapping.

Flan—gust of wind.

Flate—scolded.

Fleech—flatter.

Fleems—fleam, lancet.

Fleerish, flint and—flint and steel.

Fleg—frighten.

Fleyed—frightened.

Flyte—scold.

Forenicht—interval between twilight and bedtime.

Forfochen—exhausted.

Fou—stone crop, saxifrage.

Fremt—strange, foreign.

Fret—superstition.

Futt'rat—weasel.

Fyou—few.

Gaberlunzie—beggar.

Gale—gable.

Galshochs—kickshaws.

Gangrel—wanderer.

Gantin'—yawning.

Gean—cherry.

GLOSSARY

Gey, *gey aften*—considerably, pretty often.
Girn—snare.
Girnal—meal chest.
Girse—grass.
Gizzened—parched.
Glammoch—eager grasp.
Glaur—mire.
Gled, *gleed*—kite.
Goupin'—staring.
Graith—accoutrements, harness.
Grat, *greetin'*—cried, crying.
Grauvit—cravat.
Grease—disease affecting horses' legs.
Greybeard—earthenware bottle.
Grieve—farm overseer.
Grippy—stingy.
Grumlie—grumbling.
Guff—smell.
" *Gweed words* "—prayers.

Hacks—chaps, the effect of severe cold.
Hag—lesser branches of trees.
Hained—saved, not wasted.
Halflin—half-grown man.
Hame-drauchted — selfish, greedy.
Hamewith—homewards.
Hanks—skeins.
Hantle—much.
Happit—covered.
Harlin'—rough casting.
Harns—brains.
Harp (*a mason's*)—wire screen for cleaning sand or gravel.
Hauddin'—holding, house.

Haugh—alluvial ground beside a river.
Hauld—stronghold.
Heeze—heave.
Hine awa'—far away.
Hingin'—hanging.
Hint o' Hairst—end of harvest.
Hoast—cough.
Hod—hid.
Hodden grey—cloth the natural colour of the wool.
Horn-en'—best room in a two-roomed cottage.
Houk:n'—digging.
Hoven—swollen, blown out.
Howe—hollow, valley.
Hummel—without horns.
Hunker—to squat down.

Income — ailment the cause of which is unknown.

Jaud—jade.
Jow—toll of a bell.
Jot—job, occasional work.

Kail—colewort.
Kavils—lots.
Kebbuck—cheese.
Keel—ruddle, chalk.
Kimmer—wife.
Kintra—country.
Kirn—churn.
Kist—box, coffin.
Kittyneddie—sandpiper.
Kye—cows.
Kyte—belly.

GLOSSARY

Lade—mill race.
Laich—low.
Lair—burying plot, bed.
Laith—loth.
Lampin'—taking long steps.
Lane—alone; *his lane*, by himself.
Lapbuird—lapboard.
Lapstane—stone on which a shoemaker beats his leather.
Larick—larch.
Lave—the rest, the remainder.
Lay (turning)—lathe.
Leefu' lane—all alone.
Leems—implements.
Lettergae—one who gives out the line, the precentor.
Lettrin—precentor's desk.
Leuch—laughed.
Liftward—skywards.
Limmer—worthless woman.
Lint-pot—pool where lint is washed.
Lippens—entrusts.
Loan, loanin'—piece of uncultivated land about a homestead.
Loupin'—leaping.
Lowse—make loose.
Lozen—pane of glass.
Lum—chimney.
Lythe—shelter, lea side.

Marrow—match, equal.
Mart—ox killed at Martinmas for winter use.
Mawkin—hare.
Mear—mare.
Mint—aim, intention.

Mirk—darkness.
Mith—might.
Moggins—boot hose.
Monyfaulds—entrails, the part which consists of many folds.
Moss—moor where peats are dug.
Mou'—mouth.
Moulter—multure.
Mouter—multure, miller's fee.
Mull, snuff mull—box, snuff box.
Mutch—head-dress for a woman.
Mutchkin—liquid measure.

Nearhan'—nearly.
Neeps—turnips.
Neive—fist.
Newlins—newly.
Nick—notch.
Nickum—mischievous boy.
Niffer—to barter.
Nott—needed, required.
Nowt—nolt, neat cattle.

O'ercome—burden.
Oes—grand-children.
Ongauns—goings-on.
Ooks, ouks—weeks.
Oonchancie—uncanny.
Oonfashed—untroubled.
Oxter—arm-pit.

Panged—crammed.
Partan—common sea crab.
Pass—passage.
Pech—to pant, to labour in breathing.

GLOSSARY

Peer—match, equal.
Peerman—holder for fir candle.
Pig—pitcher.
Pirn—reel.
Plisky—mischievous trick.
Ploy—frolic.
Pock—bag.
Pooch—to pocket.
Pow—poll, head.
Pree'd—tasted.
Preen—pin.
Prob—to pierce.
Puckle—small quantity.

Quaich—drinking cup with two handles.
Queel—to cool.
Queet—ankle.
Quern—stone hand-mill.
Queyn—quean, young woman.
Quirky—tricky.

Rant—quick lively tune.
Rantree—rowan tree, mountain ash.
Rape—rope, especially one made of straw.
Rax—to stretch.
Ream—cream.
Redd up—to clear up.
Reed—rood by measurement.
Reek—smoke.
Reemish — weighty stroke or blow.
Reeshlin'—rustling.
Reets—roots.
Reist—to bank up a fire.
Rifted—belched.

Riggin'—ridge, roof.
Roch—rough.
Rockins—evening gatherings for work and gossip.
Roddens—rowans.
Roup—sale by auction.
Roupy—hoarse.
Routh—plenty.
Rowed—rolled, wrapped.
Ruck—rick, stack.
Ruggin'—pulling.
Rung—heavy staff.
Runt—withered hag.

St. Sairs—market in Aberdeen-shire.
Sappy—moist, full of juice.
Saugh—willow.
Scob—to put in splints.
Scouk—evil look.
Scrat—scratch.
Scrunt—stunted in growth.
Scunner—loathing, to disgust.
Seggit—sagged, sunk down.
Seggs—yellow flower-de-luce or iris.
Set—rented.
Seyed—put through a sieve.
Shaltie—pony.
Shank—to knit, knitting.
Shee—shoe.
Shoon—shoes.
Shortsome—amusing, causing the time to seem short.
Shue—sew.
Siccan—such.
Sids—corn husks.
Simmer—summer.

116

GLOSSARY

Sizzons—seasons.
Skaith—hurt, injury.
Skeely—skilful.
Skelp—stroke, blow.
Skep—bee hive.
Skirtit—ran quickly.
Skraich—screech.
Skreek of day—dawn.
Slap—opening, piece broken out.
Slee—sly.
Slips the timmers—(metaphor for) dies.
Slock—to quench thirst.
Smorin'—smothering.
Snaw-bree—melted snow.
Sneck—latch.
Sned—to cut, to prune.
Snell—keen, sharp, severe.
Sonsy—plump.
Sooker—sucker.
Soorocks—sorrel.
Sooter—cobbler.
Sornin'—obtruding on another for bed and board.
Souff—to whistle or con over a tune in a low tone.
Soughin'—sighing, making a low whistling noise.
Souple—supple.
Spae—to tell fortunes.
Spairge—to bespatter by dashing a liquid.
Spate—flood.
Speel—to climb.
Speer—to enquire.
Spring—tune.
Stachers—staggers.
Stance—place, station.

Stang—long pole; (of a trump), tongue of a Jew's harp.
Starkly—strongly, bravely.
Starn—star.
Steed—stood.
Steek—stitch.
Steer—stir, disturb.
Stent—extent of task.
Stirk—young bullock.
Stob—thorn.
Stobbit—thatched by means of a stob or stake.
Stoitered—staggered, tottered.
Stookit—put into shocks.
Stoor—dust.
Stoorum—gruel.
Store the kin—live, keep up the stock.
Stot—bullock older than a stirk.
Stounds—aches, acute pains.
Streek—stretch.
Streen—yesterday.
Strype—small rill.
Studdy—anvil.
Swak—supple.
Swarfed—fainted.
Swatch—sample piece.
Sweel—swill, to wash away.
Sweer—lazy.
Swith—swiftly.
Swither—hesitate.
Syne—then, since.

Tablin'—top stones on a gable.
Tack—lease.
Tansies—ragweed.
Tap—top.
Tashed—fatigued.

GLOSSARY

Ted—toad, applied to children or young women as a term of endearment.

Teem, toom—empty.

Tenty—careful, attentive.

Teuch—tough.

Teuchat—lapwing.

Thackit—thatched.

Thewless—feeble.

Thiggin'—to go about receiving supply not in the way of common mendicants, but rather giving others an opportunity of showing their liberality.

Thirled—bound or enthralled.

Thoom—thumb, to massage with the thumbs.

Thrang—throng.

Thrapple—throat.

Thrave — two stooks or 24 sheaves.

Thraw—twist, sprain.

Thrawcruik — implement for twisting straw ropes.

Threeve—throve.

Thrums—ends of yarn ; *span her thrums*—purred.

Timmer—timber.

Tint—lost.

Tirl—act of vibrating.

Tirl the sneck—twirl the handle of the latch.

Tirr—to strip forcibly.

Tittit the tow—pulled the bell-rope.

Toom—empty.

Tocher—dowry.

Tod—fox.

Towmond—twelvemonth.

Trail the rape—Hallowe'en spell which consisted in dragging a straw rope of peculiar make round the house.

Trams—shafts, as of a cart.

Trauchled—draggled.

Travise—division between stalls.

Troke—barter.

Truff—turf.

Trump—Jew's harp.

Tulzie—quarrel.

Tweezlock — another name for thrawcruik.

Tyauve (*wi' a*)—with great difficulty.

Unco—strange, uncommon.

Virr—force, impetuosity.

Vratches—wretches.

Vreetin'—writing.

Vricht—wright.

Wadset—to mortgage.

Waled—chosen.

Waller—weller, frequenter of St. Ronan's well.

Wardly—worldly.

Wared—expended.

Warslin'—struggling.

Waucht—large draught.

Weet—wet.

Weird—fate, destiny.

Whaup—curlew.

Wheeple—shrill intermitting note with little variation of tone.

GLOSSARY

Whip-the-cat—tailor with no fixed place of business, who goes from house to house.

Whorl—flywheel of a spindle made of wood or stone.

Whylock—little while.

Wicks o' mou's—corners of the mouth.

Winceys — petticoats made of wincey.

Wiss—wish.

Wuddy—gallows.

Wye—way.

Yeldrin—yellow-hammer.

Yett—gate.

Yill—ale.

Yird—earth.

Yokin'—working period during which horses are in harness.

Youkie—itchy.

Yowes—ewes.

CHISWICK PRESS: CHARLES WHITTINGHAM AND CO.
TOOKS COURT, CHANCERY LANE, LONDON.